CIEN POESÍAS

CIEN POESÍAS

AMADO NERVO

Selección de Poesías

Editorial EPOCA, S. A.

Emperadores No. 185   México 13, D. F.

SEPTIMA EDICION 1976

Impreso en México   Printed in Mexico

PRESENTACIÓN

Este libro de poesías de Amado Nervo se ha recopilado como resultado de la lectura, sin duda alguna muy amena, de la parte poética que figura en sus OBRAS COMPLETAS.

Para hacer esta selección no hemos tenido en cuenta ningún criterio especial, atendiendo a algún aspecto particular de su obra, ni tampoco nos ha movido la pretensión de recopilar sus «mejores» poesías. Para nosotros, los conceptos a los que se refieren las palabras mejor, peor *o* regular, *son muy relativos. Su aplicación depende del sentido que les adjudique el que los emplea, de su modo muy personal de calificar.*

En la vida, lo que para unas personas puede ser lo «mejor» de alguna cosa concreta, otras pueden juzgarlo de distinta manera.

Amado Nervo fue una de las personalidades descollantes de la literatura hispanoamericana de principios de siglo, con una formación polifacética de tal naturaleza que le permitió dejar a la posteridad, a pesar de su vida breve —murió cuando no había cumplido cuarenta y nueve

7

años—, una obra extraordinaria, en prosa y en verso.

Es muy interesante estudiar la trayectoria del poeta, desde que en 1870 nació en Tepic, hoy capital del Estado de Nayarit, el 27 de agosto, hasta que su cuerpo fue regresado a México, con todos los honores de las hermanas repúblicas sudamericanas, después que su vida se extinguió en Montevideo, Uruguay, el 24 de mayo de 1919.

No llegó a consagrar sus actividades al sacerdocio, como fueron sus intentos en el Seminario de Zamora, Michoacán, estudiando para cura, en 1886 y en 1891, pero en toda su producción se respiran preocupaciones místicas, además de un volumen dedicado a los motivos que lo proyectan al «más allá».

Leyendo el relato de su vida, podemos apreciar que sus años transcurrieron muy lejos de la normalidad hogareña y de las comodidades propias de quienes acumulan bienes materiales; sus afanes le llevaron a surcar el océano en diversas ocasiones y a traspasar fronteras, en medio de profundas inquietudes, entre las cuales el amor humano apasionado destaca como nota singular.

Muchas inspiraciones se deben a los países que visitó, de los que refleja paisajes contrastantes. Muchas se deben también a las amistades que por todas partes conquistó, bajo el lema único por él admitido, como así lo afirma, de una «profunda y eterna sinceridad». Esto se refleja en sus creaciones. Y como en Rubén Darío, del que fue entrañable amigo, aparecen infantas y princesas, monjas y marquesas, en alguna u otra composición. Asimismo, las margaritas, las sirenas, las cosas de la vida cotidiana, los valores morales y los sentimientos más puros.

Muy lejos de México estuvo, ya en la carrera diplomática, en los años duros de la Revolución. Pero su alma estaba firmemente vinculada a la patria, como se aprecia en sus cantos a Hidalgo y Morelos, a Juárez —con su gran poema La raza de bronce— y a los Niños Héroes, muy propios para recitarlos y aprenderlos de memoria.

Más de ochocientas composiciones poéticas son las que figuran en su obra. Presentamos cien, que las hemos ido entresacando espontáneamente a lo largo de nuestra lectura, desde los primeros cantos adolescentes hasta la plena madurez.

Todas ellas son, según nuestro criterio, «de las mejores», porque su obra completa destaca entre las cumbres más altas de la poesía en nuestra lengua.

Los editores.

MIS VERSOS

Las flores dan aromas,
las ondas mil rumores,
los sauces gemidores
su abrigo protector;
diamantes va regando
doquier el aura inquieta,
y el arpa del poeta
sus cánticos de amor.

He aquí, Señor, de mi arpa
los cánticos dispersos.
Son tuyos estos versos
de vaga inspiración;
escritos en mis horas
de dicha y de congojas,
¡te traigo en estas hojas
mi ardiente corazón!

(1886-1891)

11

TÚ Y YO

IMITACIÓN

Violeta pura de suave aroma,
jirón hermoso del cielo azul,
arrullo tierno de una paloma:
            eso eres tú.

Visión que en sueños el poeta mira,
el ángel bello de la virtud,
ser misterioso que amor inspira:
            eso eres tú.

Ave doliente de la espesura,
postrer latido de un corazón,
oculto arroyo que no murmura:
            eso soy yo.

Suspiro triste de algún amante,
flor de un sepulcro, prado sin sol,
bardo sin nombre, céfiro errante:
            eso soy yo.

(1887)

MAÑANA DE MI VIDA

Mañana de mi vida,
mañana del poeta,
¡qué bellas son tus flores,
qué puras sus esencias!

Tu sol esplendoroso
calienta y refrigera;
tus auras blando gimen,
tus pájaros gorjean.

Tu cielo es un zafiro
donde, cual blancas vestas,
vagando van errantes
las nubes veraniegas.

TUS OJOS AZULES

Ni las transparentes ondas
de la inmensidad tranquila,
ni el azul del firmamento
donde las estrellas giran;
ni el color de la violeta
o de la hiedra sencilla,
tienen la suave pureza
del azul de tus pupilas.

Me miras, mujer, y siento
en mi alma emoción divina:
siento calma, inmenso goce,
suavidad, luz, armonía.
Por eso, niña adorada,
me enloqueces si me miras,
que hay un abismo sin fondo
detrás de tu azul pupila.

¡Mírame así siempre! Dame
esas miradas tranquilas,
húmedas, tiernas y castas,

que no envenenan ni agitan:
que no ciegan ni arrebatan,
sino que a mi pecho brindan
el anticipado goce
de la alegría prometida.

¡CÓMO TE QUIERO!

¿No sabes cómo ama el ave
al polluelo que nació
con su calor grato y suave
y que trinar aún no sabe?
Pues aún más te quiero yo.

¿Sabes cómo ama la fuente
a la rosa que brotó
junto a su mansa corriente
purísima y transparente?
Pues aún más te quiero yo.

¿No sabes cómo ama el viento
las hojas con que cubrió
Dios el árbol corpulento
de firme y añoso asiento?
Pues aún más te quiero yo.

Como ama el ángel dichoso
al Eterno que le crió;
como el artista lo hermoso
y el poeta lo misterioso,
así, niña, te amo yo.

UN RIZO DE TU PELO

Quiero poseer un rizo de tu pelo,
de ese pelo magnífico y luciente
que con tus grandes ojos forma un cielo
soberano, bellísimo, esplendente.

Quiero poseer un rizo desprendido
de esas trenzas que besan en sus giros
las auras, cuando llevan a tu oído
el lloroso rumor de mis suspiros.

¡Oh!, dame esos cabellos, que doquiera
a mi fiel corazón irán opresos;
y ya los tomarás cuando me muera,
mojados con mi llanto y con mis besos.

DELICTA CARNIS

Carne, carne maldita, que me apartas del cielo;
carne tibia y rosada que me impeles al vicio;
ya rasgué mis espaldas con cilicio y flagelo
por vencer tus impulsos y es en vano: ¡te anhelo
a pesar del flagelo y a pesar del cilicio!

Crucifico mi cuerpo con sagrados enojos,
y se abraza a mis plantas Afrodita la impura;
me sumerjo en la nieve, mas la templan sus ojos;
me revuelco en un tálamo de punzantes abrojos,
y sus labios lo truecan en deleite y ventura.

Y no encuentro esperanza, refugio, ni asilo,
y en mis noches, pobladas de febriles quimeras,
me persigue la imagen de la Venus de Milo,
con sus lácteos muñones, con su rostro tranquilo
y las combas triunfales de sus amplias caderas.

¡Oh, Señor Jesucristo, guíame por los rectos
derroteros del justo; ya no turben con locas
avideces la calma de mis puros afectos,
ni el caliente alabastro de los senos erectos,
ni el marfil de los hombros, ni el coral de bocas!

A NÉMESIS

Tu brazo en el pesar me precipita,
me robas cuanto el alma me recrea,
y casi nada tengo: flor que orea
tu aliento de simún, se me marchita.

Pero crece mi fe junto a mi cuita,
y digo como el Justo de Idumea:
Así lo quiere Dios, ¡bendito sea!;
el Señor me lo da y Él me lo quita.

Que medre tu furor, nada me importa:
puedo todo en Aquél *que me conforta,*
y me resigno al duelo que me mata;

porque, roja visión en noche oscura,
Cristo va por mi vía de amargura
agitando su túnica escarlata.

A KEMPIS

Ha muchos años que busco el yermo,
ha muchos años que vivo triste,
ha muchos años que estoy enfermo,
¡y es por el libro que tú escribiste!

¡Oh, Kempis!; antes de leerte, amaba
la luz, las vegas, el mar océano;
mas tú dijiste que todo acaba,
que todo muere, que todo es vano!

Antes, llevado de mis antojos,
besé los labios que al beso invitan
las rubias trenzas, los grandes ojos,
¡sin acordarme que se marchitan!

Mas como afirman doctores graves,
que tú, maestro, citas y nombras,
que el hombre pasa como las naves,
como las nubes, como las sombras . . . ,

huyo de todo terreno lazo,
ningún cariño mi mente alegra,
y con tu libro bajo del brazo
voy recorriendo la noche negra...

¡Oh, Kempis, Kempis, asceta yermo,
pálido asceta, qué mal me hiciste!
¡Ha muchos años que estoy enfermo
y es por el libro que tú escribiste!

MÁS ALLÁ

Más allá del cedro por el sol cribado,
más allá del monte por la nieve hopado
que los frescos valles custodiando está,
más allá.

Más allá del aire cuyas nubes puras
gráciles erigen sus arquitecturas,
más allá.

Más allá del Cosmos, forjador potente
de mundos y soles, que en resplandeciente
fuga de oro y plata desgranando va,
más allá.

Tristemente radia mi quimera hermosa,
siempre inaccesible, siempre luminosa,
más allá.

LA HERMANA MELANCOLÍA

En un convento vivía
una monja que pasaba
por santa, y que se llamaba
la Hermana Melancolía:
fruto de savia tardía
que olvidó la primavera,
su rostro de lirio era,
y sus pupilas umbrosas
dos nocturnas mariposas
en ese lirio de cera.

Nadie la vio sonreír,
porque quiso, en su entereza,
ennoblecer de tristeza
la ignominia de vivir;
tan sólo cuando, al morir,
miró la faz del Señor,
arrojando su dolor
como se arroja una cruz,
mostró en su frente la luz
de un relámpago de amor.

Y aquella monja, sombría,
que nunca se sonrió,
cuando en su cripta durmió
sonreía, sonreía...

Hermana Melancolía:
dame que siga tus huellas,
dame la gloria de aquellas
tristezas, ¡oh, taciturna!
Yo soy un alma nocturna
que quiere tener estrellas.

LA RAZA DE BRONCE

Leyenda heroica

(Recitada el 19 de julio
de 1902 en la Cámara de
Diputados).

En honor de Juárez

I

Señor, deja que diga la gloria de tu raza,
la gloria de los hombres de bronce, cuya maza
melló de tantos yelmos y escudos la osadía:
¡oh, *caballeros tigres!*, ¡oh, *caballeros leones!*,
¡oh, *caballeros águilas!*, os traigo mis canciones;
¡oh, enorme raza muerta!, te traigo mi elegía.

II

Aquella tarde, en el poniente augusto,
el crepúsculo audaz era una pira

como de algún atrida o de algún justo;
llamarada de luz o de mentira
que incendiaba el espacio y parecía
que el Sol al estrellar sobre la cumbre
su mole vibradora de centellas,
se trocaba en mil átomos de lumbre,
y esos átomos eran las estrellas.

Yo estaba solo en la quietud divina
del valle. ¿Solo? ¡No! La estatua fiera
del héroe Cuauhtémoc, la que culmina
disparando su dardo a la pradera,
bajo el palio de pompa vespertina
era mi hermana y mi custodio era.

Cuando vino la noche misteriosa
—jardín azul de margaritas de oro—
y calló todo ser y toda cosa,
cuatro sombras llegaron a mí en coro;
cuando vino la noche misteriosa
—jardín azul de margaritas de oro—.

Llevaban una túnica esplendente,
y eran tan luminosamente bellas
sus carnes, y tan fúlgida su frente,
que prolongaban para mí el poniente
y eclipsaban la luz de las estrellas.

Eran cuatro fantasmas, todos hechos
de firmeza y los cuatro eran colosos
y fingían estatuas y sus pechos
radiaban como bronces luminosos.

Y los cuatro entonaron albo coro...
Callado todo ser y toda cosa;
y arriba, era la noche misteriosa
—jardín azul de margaritas de oro—.

III

Ante aquella visión que asusta y pasma,
yo, como Hamlet, mi doliente hermano,
tuve valor e interrogué al fantasma;
mas mi espada temblaba entre mi mano.

—"¿Quién sois vosotros -exclamé-, que en presto
giro bajáis al valle mexicano?"
Tuve valor para decirles esto;
mas mi espada temblaba entre mi mano.

—"¿Qué abismo os engendró ¿De qué funesto
limbo surgís? ¿Sois seres, humo vano?"
Tuve valor para decirles esto;
mas mi espada temblaba entre mi mano.

—"Responded —continué—. Miradme enhiesto
y altivo y burlador ante el arcano".
Tuve valor para decirles esto;
mas mi espada temblaba entre mi mano...

IV

Y un espectro de aquéllos, con asombros
vi que vino hacia mí, lento y sin ira,
y llevaba una piel sobre los hombros
y en las pálidas manos una lira;
y me dijo con voces resonantes
y en una lengua rítmica que entonces
comprendí: —"¿Que quién somos? Los gigantes
de una raza magnífica de bronce.

"Yo me llamé Nezahualcóyotl y era
rey de Texcoco; tras de lid artera,
fui despojado de mi reino un día,
y en las selvas erré como alimaña,
y el barranco y la cueva y la montaña
me enseñaron su augusta poesía.

"Torné después a mi sitial de plumas,
y fui sabio y fui bueno; entre las brumas
del paganismo adiviné al Dios Santo;
le erigí una pirámide y en ella,
siempre al fulgor de la primera estrella
y al son del *huéhuetl*, le elevé mi canto.

V

Y otro espectro acercóse; en su derecha
llevaba una *macana* y una fina
saeta en su carcaje, de ónix hecha;
coronaban su testa plumas bellas,
y me dijo: —"Yo soy Ilhuicamina,
sagitario del éter y mi flecha
traspasa el corazón de las estrellas.

"Yo hice grande la raza de los lagos,
yo llevé la conquista y los estragos
a vastas tierras de la patria andina,
y al tornar de mis bélicas porfías
traje pieles de tigre, pedrerías
y oro en polvo... !Yo soy Ilhuicamina!"

VI

Y otro espectro me dijo: —"En nuestros cielos
las águilas y yo fuimos gemelos:
¡Soy Cuauhtémoc! Luchando sin desmayo
caí..., ¡porque Dios quiso que cayera!
Mas caí como el águila altanera;
viendo al sol y apedreada por el rayo.

"El español martirizó mi planta
sin lograr arrancar de mi garganta
ni un grito y cuando el rey mi compañero

temblaba entre las llamas del brasero:
—¿Estoy yo, por ventura, en un deleite?
—le dije—; y continué, sañudo y fiero
mirando hervir mis pies en el aceite...

VII

Y el fantasma postrer llegó a mi lado:
no venía del fondo del pasado
como los otros; mas del bronce mismo
era su pecho y en sus negros ojos
fulguraba, en vez de ímpetus y arrojos,
la tranquila frialdad del heroísmo.

Y parecióme que aquel hombre era
sereno como el cielo en primavera
y glacial como cima que acoraza
la nieve y que su sino fue, en la historia,
tender puentes de bronce entre la gloria
de la raza de ayer y nuestra raza.

Miróme con su límpida mirada,
y yo le vi sin preguntarle nada.
Todo estaba en su enorme frente escrito:
la hermosa obstinación de los castores,
la paciencia divina de las flores
y la heroica dureza del granito...

¡Eras tú, mi Señor; tú que soñando
estás en el panteón de San Fernando
bajo el dórico abrigo en que reposas;
eras tú, que en tu sueño peregrino,
ves marchar a la patria en su camino
rimando risas y regando rosas!

Eras tú y a tus pies cayendo al verte:
—"Padre, te murmuré, quiero ser fuerte:
dame tu fe, tu obstinación extraña;
quiero ser como tú, firme y sereno;
quiero ser como tú, paciente y bueno;
quiero ser como tú, nieve y montaña.

"Soy una chispa: ¡enséñame a ser lumbre!
Soy un guijarro: ¡enséñame a ser cumbre!
Soy una linfa: ¡enséñame a ser río!
Soy un harapo: ¡enséñame a ser gala!
Soy una pluma: ¡enséñame a ser ala
y que Dios te bendiga, Padre mío!

VIII

Y hablaron tus labios, tus labios benditos,
y así respondieron a todos mis gritos,
a todas mis ansias: —"No hay nada pequeño,
ni el mar ni el guijarro, ni el Sol ni la rosa,

— 31

con tal de que el sueño, visión misteriosa,
le preste sus nimbos, ¡y tú eres el sueño!

"Amar, eso es todo; querer, ¡todo es eso!
Los mundos brotaron al eco de un beso,
y un beso es el astro y un beso es el rayo,
y un beso la tarde y un beso la aurora,
y un beso los trinos del ave canora
que glosa las fiestas divinas de mayo.

"Yo quise a la patria por débil y mustia,
la patria me quiso con toda su angustia,
y entonces nos dimos los dos un gran beso:
los besos de amores son siempre fecundos;
un beso de amores ha creado los mundos;
amar..., ¡eso es todo!; querer..., ¡todo es eso!"

Así me dijeron tus labios benditos,
así respondieron a todos mis gritos,
a todas mis ansias y eternos anhelos.
Después, los fantasmas volaron en coro,
y arriba los astros —poetas de oro—
pulsaban la lira de azul de los cielos.

IX

Mas al irte, Señor, hacia el ribazo
donde moran las sombras, un gran lazo

dejabas, que te unía con los tuyos,
un lazo entre la tierra y el arcano,
y ese lazo era otro indio: Altamirano;
bronce también, mas bronce con arrullos.

Nos le diste en herencia y luego, Juárez,
te arropaste en las noches tutelares
con tus amigos pálidos; entonces,
comprendiendo lo eterno de tu ausencia,
repitieron mi labio y mi conciencia:
—"Señor, alma de luz, cuerpo de bronce,

soy una chispa: ¡enséñame a ser lumbre!
Soy un guijarro: ¡enséñame a ser cumbre!
Soy una linfa: ¡enséñame a ser río!
Soy un harapo: ¡enséñame a ser gala!
Soy una pluma: ¡enséñame a ser ala,
y que Dios te bendiga, Padre mío!"

Tú escuchaste mi grito, sonreíste
y en la sombra infinita te perdiste
cantando con los otros albo coro.

Callaba todo ser y toda cosa:
y arriba, era la noche misteriosa;
jardín azul de margaritas de oro...

HOMENAJE

—Ha muerto Rubén Darío,
¡el de las piedras preciosas!

Hermano, ¡cuántas noches tu espíritu y el mío,
unidos por el vuelo, cual dos alas ansiosas,
sondar quisieron ávidos el Enigma sombrío,
más allá de los astros y de las nebulosas!

—Ha muerto Rubén Darío,
¡el de las piedras preciosas!

¡Cuántos años intensos junto al Sena vivimos,
engarzando en el oro de un común ideal
los versos juveniles que, a veces, brotar vimos
como brotan dos rosas a un tiempo de un rosal!

Hoy ya tu vida, inquieta cual torrente bravío,
en el Mar de las Causas desembocó; ya posas
las plantas errabundas en el islote frío
que pintó Bocklin..., ¡ya sabes todas las cosas!

—Ha muerto Rubén Darío,
¡el de las piedras preciosas!

Mis ondas rezagadas van de las tuyas; pero
pronto en el insondable y eterno Mar del Todo
se saciará mi espíritu de lo que saber quiero:
del Cómo y del Porqué, de la Esencia y del Modo.

Y tú, como en Lutecia las tardes misteriosas
en que pensamos juntos a la orilla del Río
Lírico, habrás de guiarme... Yo iré donde tú osas,
para robar entrambos al musical vacío
y al coro de los orbes sus claves portentosas...

—Ha muerto Rubén Darío,
¡el de las piedras preciosas!

(febrero de 1916)

HIDALGO Y MORELOS

¡Hidalgo y Morelos, palabras radiosas!
Pregunta esos nombres al monte y al plan,
a cielos y a mares, a todas las cosas,
y así te dirán:

El monte de nieves y eternos basaltos
que siglos y siglos sus crestas irguió,
"Morelos —dirá— son más altos,
más altos que yo".

El mar, gran espejo de azur de Los Andes,
que nunca sus puros cristales manchó,
"Hidalgo, Morelos —dirá— son más grandes,
más grandes que yo".

El Sol, alma fuente de vivos destellos,
imán de los mundos que el Padre creó,
"Hidalgo y Morelos —dirá— son más bellos,
más bellos que yo".

Y fuentes y prados y valles y cielos,
cantando los nombres de luz de los dos,
dirán con mil voces: "Hidalgo, Morelos,
¡bendígalos Dios!"

LOS LIBERTADORES

—Honremos la memoria
de los libertadores,
que llenan con su gloria
los fastos de otra edad.

—Llenos de santos amores
sus vidas sacrificaron,
y por nosotros conquistaron
el bien mayor: ¡la libertad!

—¡Qué ruda fue la brega,
qué noble fue su empeño,
para tornar un sueño
de gloria en realidad!

—Todos, tras cruenta refriega,
su noble vida inmolaron,
pero muriendo nos legaron
el bien mayor: ¡la libertad!

LA CANCIÓN DEL AUSENTE

Oh, México adorado,
¿te volveré a mirar?
¿Veré tu cielo inmaculado
y el verde claro de tu mar?
—Oh, México adorado,
¿te volveré a mirar?

¿Veré tus altos montes
de cándido capuz,
y tus inmensos horizontes
glorificados por la luz?
—¿Veré tus altos montes
de nítido capuz?

Feliz, cuando de lejos,
tras largo navegar,
mire del Sol a los reflejos
el Citlaltépetl culminar.
—¡Feliz cuando de lejos,
le pueda saludar!

Gaviotas mensajeras;
pues que podéis, volad
hasta el país de las palmeras,
y a los que quiero saludad.
—¡Gaviotas mensajeras:
pues que podéis, volad!

LA ALEGRE CANCIÓN
DE LA MAÑANA

—Llegó la luz serena,
y a levantarme voy.
La noche se aleja como una gran pena;
¡qué alegre que estoy!

—Los pájaros en coro
cantan sus alegrías;
las jaulas vibran como arpas de oro.
Hermanos pájaros, ¡muy buenos días!

—Las gotas de rocío
comienzan a temblar
cual si tuviesen frío;
las rosas más hermosas del jardincito mío
con esos mil diamantes van a hacerse un collar.

—El hilo del agua, la trémula brisa,
sus más alegres cosas empiezan a decir.
El cielo resplandece como una gran sonrisa...
¡Qué bello es vivir!

YO NO NACÍ PARA REÍR

Yo no nací para reír; en vano
el Sol baña en sus oros mi cabeza.
Soy gentilhombre del dolor humano,
y envuelto voy al insondable arcano
en el manto imperial de mi tristeza.

Nunca supe de bien: supe de dolo,
de frío y soledad. Mi ser remeda
la noche pertinaz que cubre al polo.
Dejadme con mi angustia: estoy tan solo...
Si me quitan mi angustia, ¡qué me queda!

Me quieres, bien lo sé. Piadosa y franca
desciendes a mi mal con heroísmo,
y donde todo es negro tú eres blanca:
florecita de nieve en la barranca
y estrellita de paz en el abismo.

Me quieres, bien lo sé; pero me espanta
pensar que mi existencia es tan oscura,
que tu almita de luz, tu almita santa,
negra se volverá con sombra tanta
por querer que amanezca en mi negrura.

Y el cielo prueba nuestro amor: el gozo
se alejó, gorjeando, de la reja
donde el Sol alumbró tanto alborozo,
y hoy tú no eres nada más que un gran sollozo
y yo no soy más que una gran queja.

¡Cuántas dichas ayer en nuestra escena!
Pero el ala de Dios cubrió el santuario,
y sin piedad de ti que eres tan buena,
te clavó en el madero de la pena,
te trocó en virgencita del calvario.

Mas ¡qué importa! El dolor es soberano
dispensador de gloria y de nobleza.
¡Mi estrellita, mi flor, dame la mano,
y vayamos envueltos al Arcano
en el manto imperial de mi tristeza!

(1899)

GUADALUPE LA CHINACA

(Para el doctor *Manuel Flores*, quien me pidió unos *versos nacionales*).

Con su escolta de rancheros,
diez fornidos guerrilleros y en su *cuaco* retozón
que la rienda mal aplaca,
Guadalupe la Chinaca va a buscar a Pantaleón.

Pantaleón es su marido,
el gañán más atrevido con las bestias y en la
[lid:
faz trigueña, ojos de moro,
y unos músculos de toro y unos ímpetus de Cid.

Cuando mozo fue vaquero,
y en el monte y el potrero la fatiga le templó
para todos los reveses,
y es terror de los franceses y cien veces lo
[probó.

Con su silla plateada,
su chaqueta alamarada, su vistoso *cachirul*
y su lanza de *cañutos*,
cabalgando *pencos* brutos ¡qué gentil se ve el
[gandul!

Guadalupe está orgullosa
de su *prieto;* ser su esposa le parece una ilusión,
y al mirar que en la pelea
Pantaleón no se pandea, grita: ¡Viva Pantaleón!

Ella cura los heridos
con remedios aprendidos en el rancho que nació,
y los venda en los combates
con los rojos paliacates que la pólvora impregnó.

::   ::

En aquella madrugada todo halaga su mirada,
finge pórfido el nopal,
y los órganos parecen candelabros que se mecen
con la brisa matinal.

En los planos y en las peñas, el ganado entre
[las breñas,
rumia, trisca mugidor
azotándose los flancos y en los húmedos barrancos
busca tunas el pastor.

A lo lejos, en lo alto, bajo un cielo de cobalto
que desgarra su capuz,
van tiñéndose las brumas, como un piélago
de plumas, irisadas en la luz.

Y en fértiles llanadas, entre milpas retostadas
de calor, pringan el plan,
amapolas, *maravillas, zempoalxóchitls* amarillas
y azucenas de San Juan.

:: ::

Guadalupe va de prisa, de retorno de la misa:
que, en las fiestas de guardar,
nunca faltan las rancheras,
con sus flores y sus ceras, a la iglesia del
[lugar.

Con su gorra galoneada, su camisa pespunteada,
su gran paño para el Sol,
su rebozo de bolita,
y una saya suavecita y unos *bajos* de charol;

con su faz encantadora, más hermosa que la
[aurora
que colora la extensión;
con sus labios de carmines, que parecen *colorines*,
y su cutis de piñón;

se dirige al campamento, donde reina el
                                    [movimiento
y hay *mitote* y hay licor;
porque ayer fue bueno el día,
pues cayó en la serranía un convoy del invasor.

¡Qué mañana tan hermosa! ¡Cuánto verde,
                                    [cuánta rosa!
¡Y qué linda la extensión
rosa y verde se destaca con su escolta,
la *Chinaca* que va a ver a Pantaleón!

LOS NIÑOS MÁRTIRES
DE CHAPULTEPEC

Leída en el Hemiciclo del Bosque

I

Como renuevos cuyos aliños
un viento helado marchita en flor,
así cayeron los héroes niños
ante las balas del invasor.

Allí fue... Los sabinos, la cimera
con sortijas de plata remecían;
cantaba nuestra eterna primavera
su himno al Sol; era diáfana la esfera;
perfumaba la flor..., ¡y ellos morían!

Allí fue... Los volcanes, en sus viejos
albornoces de nieve se envolvían,
perfilando sus moles a lo lejos
era el valle, una fiesta de reflejos,
de frescura, de luz... ¡y ellos morían!

Allí fue... Saludaba al mundo el cielo,
y al divino saludo respondían
los árboles, la brisa, el arroyuelo,
los nidos con el trino del polluelo,
las rosas con su olor... ¡y ellos morían!

Morían cuando apenas el enhiesto
botón daba sus pétalos precoces,
privilegiados por la suerte en esto:
que los que aman los dioses mueren presto
¡y ellos eran amados de los dioses!

Sí, los dioses la linfa bullidora
cegaban de esos puros manantiales,
espejos de las hadas y de Flora,
y juntaban la noche con la aurora,
como pasa en los climas boreales.

Los dioses nos robaron el tesoro
de esas almas de niños que se abrían
a la vida y al bien, cantando en coro...

Allí fue... La mañana era de oro,
septiembre estaba en flor... ¡y ellos morían!

II

Como renuevos cuyos aliños
un viento helado marchita en flor,

así cayeron los héroes niños
ante las balas del invasor.

No fue su muerte conjunción febea
ni puesta melancólica de Diana,
sino eclipse de Vésper, que recrea
los cielos con su luz y parpadea
y cede ante el fulgor de la mañana.

Morir cuando la tumba nos reclama,
cuando la dicha, suspirando quedo,
"¡Adiós!", murmura y se extinguió la llama
de la fe, y aunque todo dice "¡Ama!",
responde el corazón: "¡Si ya no puedo...!"

Cuando sólo escuchamos dondequiera
del tedio el gran monologar eterno,
y en vano desparrama primavera
su florido caudal en la pradera,
porque dentro llevamos el invierno,

bien está... Mas partir en pleno día,
cuando el Sol glorifica la jornada,
cuando todo en el pecho ama y confía,
y la vida, Julieta enamorada,
nos dice: "¡No te vayas todavía!";

y forma la ilusión mundos de encajes,
y los troncos de savia están henchidos,

y las frondas perfuman los boscajes,
y los nidos salpican los frondajes,
y las aves arrullan en los nidos,

es cruel . . . Mas, entonces, ¿por qué ahora
muestra galas el bosque y luce aliños?
¿Por qué canta el clarín con voz sonora?
¿Por qué nadie está triste, nadie llora
delante del recuerdo de esos niños?

Porque más que la vida, bien pequeño;
porque más que la gloria, que es un sueño;
porque más que el amor, vale, de fijo,
la divina oblación y en una losa
este bello epitafio: "Aquí reposa;
dio su sangre a la patria: ¡era un buen hijo!"

III

Como renuevos cuyos aliños
un viento helado marchita en flor,
así cayeron los héroes niños
ante las balas del invasor.

Descansa, juventud, ya sin anhelo,
serena como un dios, bajo las flores
de que es pródigo siempre nuestro suelo;
descansa bajo el palio de tu cielo
y el santo pabellón de tres colores.

Descansa, y que liricen tus hazañas
las voces del terral en los palmares,
y las voces del céfiro en las cañas,
las voces del pinar en las montañas
y la voz de las ondas en los mares.

Descansa y que tu ejemplo persevere,
que el amor al derecho siempre avive,
y que en tanto que el pueblo te quiere
murmura en tu sepulcro: "¡Así se muere!",
la fama cante en él: "¡Así se vive!"

IV

Como renuevos cuyos aliños
un viento helado marchita en flor,
así cayeron los héroes niños
ante las balas del invasor.

Señor, en cuanto a ti, dos veces *bravo*,
que aquí defiendes el hollado suelo
tras de haber defendido el suelo esclavo,
y hoy en el sitio dormirás al cabo
donde el águila azteca posó el vuelo;

Señor, en cuanto a ti, que noble y fuerte
llegaste del perdón al heroísmo,
perdonando en tu triunfo a quien la muerte
dio a tu padre infeliz y de esta suerte
venciéndote dos veces a ti mismo:

¡ven, únete a esos niños como hermano
mayor, pues que su gloria fue tu gloria,
y llévalos contigo de la mano
hacia el solio de Jove soberano
y a las puertas de bronce de la historia!

(septiembre de 1903)

VIEJO ESTRIBILLO

¿Quién es esa sirena de la voz tan doliente,
de las carnes tan blancas, de la trenza tan bruna?
—Es un rayo de Luna que se baña en la fuente,
es un rayo de Luna...

¿Quién gritando mi nombre la morada recorre?
¿Quién me llama en las noches con trémulo acento?
—Es un soplo de viento que solloza en la torre,
es un soplo de viento...

Di, ¿quién eres, arcángel cuyas alas se abrasan
en el fuego divino de la tarde y que subes
por la gloria del éter?
        —Son las nubes que pasan;
        mira bien, son las nubes...

¿Quién regó sus collares en el agua, Dios mío?
Lluvia son de diamantes en azul terciopelo.
—Es la imagen del cielo que palpita en el río,
        es la imagen del cielo...

¡Oh, Señor! ¡La belleza sólo es, pues, espejismo:
nada más Tú eres cierto: sé Tú mi último Dueño!
¿Dónde hallarte, en el éter, en la Tierra, en mí
[mismo?
—Un poquito de ensueño te guiará en cada abismo,
un poquito de ensueño . . .

EVOCACIÓN

Yo la llamé del hondo misterio del pasado,
donde es sombra entre sombras, vestigio entre
                              [vestigios,
fantasma entre fantasma . . .
               Y vino a mi llamado,
desparramando razas y atropellando siglos.

Atónitas, las leyes del tiempo la ceñían;
el alma de las tumbas, con fúnebre alarido,
gritábale ¡detente! — Las épocas asían,
con garfios invisibles, su brial descolorido.

¡Mas todo inútil! Suelta la roja cabellera,
la roja cabellera que olía a eternidad,
aquella reina extraña, vestida de quimera,
corría desalada tras de mi voluntad.

Cuando llegó a mi lado, le dije de esta suerte:
—¿Recuerdas tu promesa del año mil?
                     —Advierte,
que soy tan sólo sombra . . .
            —Lo sé.

—Que estaba loca ...
—¡Me prometiste un beso!
—¡Lo congeló la muerte!
—¡Las reinas no perjuran ...!
Y me besó en la boca.

TRISTE

Mano experta en las caricias;
labios, urna de delicias;
blancos senos, cabezal
para todos los soñares;
ojos glaucos, verdes mares,
verdes mares de cristal...

Ya sois idas, ya estáis yertas,
manos pálidas y expertas,
largas manos de marfil;
ya estáis yertos, ya sois idos,
ojos glaucos y dormidos
de narcótico sutil.

Cabecita auri-rizada:
hay un hueco en la almohada
de mi tálamo de amor;
cabecita de oro intenso:
¡qué vacío tan inmenso,
tan inmenso, en derredor!

COMO BLANCA TEORÍA
POR EL DESIERTO

Como blanca teoría por el desierto
desfilan silenciosas mis ilusiones,
sin árbol que les preste sus ramazones,
ni gruta que les brinde refugio cierto.

La Luna se levanta del campo yerto
y, al claror de sus lívidas fulguraciones,
como blanca teoría mis ilusiones
desfilan silenciosas por el desierto.

En vano al cielo piden revelaciones;
son esfinges los astros. Edipo ha muerto,
y a la faz de las viejas constelaciones
desfilan silenciosas mis ilusiones
como blanca teoría por el desierto.

ESTA NIÑA DULCE Y GRAVE

Esta niña dulce y grave
tiene un largo cuello de ave,
cuello lánguido y sutil,
cuyo gálibo suave
finge proa de una nave,
de una nave de marfil.

Y hay en ella, cuando inclina
la cabeza arcaica y fina,
—que semeja peregrina
flor de oro— al saludar,
cierto ritmo de latina,
cierto porte de menina
y una gracia palatina
muy difícil de explicar...

DE VUELTA

Salí al alba, dueño mío,
y llegué, marcha que marcha
entre cristales de escarcha,
hasta la margen del río.
¡Vengo *chinita* de frío!

De la escarcha entre el aliño,
era el dormido caudal
como un sueño de cristal
en un edredón de armiño.
(Emblema de mi cariño).

Alegre estaba, señor,
junto a la margen del río,
alegre en medio del frío:
es que me daba calor
dentro del alma tu amor.

Te vi al tornar, mi regreso
esperando en la ventana,
y echó a correr tu Damiana
por darte más pronto un beso,
—¿Por eso — ¡Nomás por eso!

CUANDO LLUEVE...

—¿Ves, hija? Con tenue lloro
la lluvia a caer empieza.
—Sí, padre, y cayendo reza
como una monja en el coro.

—Damiana, hija mía,
ya enciende el quinqué;
yo tengo melancolía...
—Yo también, ¡no sé por qué!

—Padre, el agua me acongoja;
vagos pesares me trae.
—Damiana, la lluvia cae
como algo que se deshoja.

—¿Oyes? Murmurando está
como una monja que reza...
—¡Damiana, tengo tristeza!
—Yo también... ¿Por qué será?

EL RETORNO

Vuelvo, pálida novia, que solías
mi retorno esperar tan de mañana,
con la misma canción que preferías
y la misma ternura de otros días
y el mismo amor de siempre, a tu ventana.

Y elijo para verte, en delicada
complicidad con la Naturaleza,
una tarde como ésta: desmayada
en un lecho de lilas e impregnada
de cierta aristocrática tristeza.

¡Vuelvo a ti con mis dedos enlazados
en actitud de súplica y anhelo,
—como siempre— y mis labios, no cansados
de alabarte y mis ojos obstinados
en ver los tuyos a través del cielo!

Recíbeme tranquila, sin encono,
mostrando el dejo suave de una hermana;
murmura un apacible "Te perdono",
y déjame dormir con abandono
en tu noble regazo, hasta mañana...

VIEJA LLAVE

Esta llave cincelada
que en un tiempo fue colgada
(del estrado a la cancela,
de la despensa al granero)
del llavero
de la abuela,
y en continuo repicar
inundaba de rumores
los vetustos corredores;
esta llave cincelada,
si no cierra ni abre nada,
¿para qué la he de guardar?

Ya no existe el gran ropero,
la gran arca se vendió:
sólo en un baúl de cuero,
desprendida del llavero,
esta llave se quedó.

Herrumbrosa, orinecida,
como el metal de mi vida,

como el hierro de mi fe,
esta llave sin llavero
¡nada es ya de lo que fue!

Me parece un amuleto
sin virtud y sin respeto;
como mi querer de acero,
nada abre, no resuena...
¡me parece un alma en pena!

Pobre llave sin fortuna
...y sin dientes, como una
vieja boca: si en mi hogar
ya no cierras ni abres nada,
pobre llave desdentada,
¿para qué te he de guardar?

:: ::

Sin embargo, tú sabías
de las glorias de otros días:
del mantón de seda fina
que nos trajo de la China
la gallarda, la ligera
española nao fiera.
Tú sabías de tibores
donde pájaros y flores
confundían sus colores;

tú, de lacas, de marfiles
y de perfumes sutiles
de otros tiempos; tu cautela
conservaba la canela,
el cacao, la vainilla,
la suave mantequilla,
los grandes quesos frescales
y la miel de los panales,
tentación del paladar;
mas si hoy, abandonada,
ya no cierras ni abres nada,
pobre llave desdentada,
¿para qué te he de guardar?

:: ::

Tu torcida arquitectura
es la misma del portal
de mi antigua casa oscura
(que en un día de premura
fue preciso vender mal).

Es la misma de la ufana
y luminosa ventana
donde Inés, mi prima, y yo
nos dijimos tantas cosas
en las tardes misteriosas
del buen tiempo que pasó...

Me recuerda mi morada,
me retratas mi solar;
mas si hoy, abandonada,
ya no cierras ni abres nada,
pobre llave desdentada,
¿para qué te he de guardar?

HOJEANDO ESTAMPAS
VIEJAS

Dime, ¿en cuál destas nobles catedrales,
hace ya muchos siglos, ¡oh Señora!,
silenciosos, mirando los vitrales,
unimos nuestras manos fraternales
en la paz de una tarde soñadora?

Dime, ¿en cuál de los árboles copudos,
deste bosque, medrosos y, desnudos,
oímos, en los viejos milenarios,
rugir a los leones solitarios
y aullar a los chacales testarudos?

Di si en esta enigmática ribera
me esperabas antaño, compañera,
sólo teniendo, en noches invernales,
por chal para tus senos virginales,
la húmeda y salobre cabellera.

¿En cuál destos torneos tus colores
llevé y en cuál castillo tus loores

entonaron mis labios halagüeños?
Y si nunca te vi ni te amé viva,
¿por qué hoy vas y vienes pensativa
por la bruma de nácar de mis sueños?

LA BELLA DURMIENTE
DEL BOSQUE

—Decidme, noble anciana, por vuestra vida:
¿yace aquí la princesa que está dormida,
esperando ha dos siglos un caballero?

—La princesa de que hablas en tu conseja,
¡soy yo...! pero, ¿no miras? Estoy muy vieja,
¡ya ninguno me busca y a nadie espero!

—Y yo que la procela de un mar de llanto
surqué... ¡Yo que he salvado montes y ríos
por vos! —¡Ay!, caballero, ¡qué desencanto!
...Mas, no en balde por verme sufriste tanto:
tus cabellos son blancos, ¡como los míos!

Asómate al espejo de esta fontana,
oh, pobre caballero... ¡Tarde viniste!
Mas, aún puedo amarte como una hermana,
posar en mi regazo tu frente cana
y entonar viejas coplas cuando estés triste...

INMORTALIDAD

No, no fue tan efímera la historia
de nuestro amor: entre los folios tersos
del libro virginal de tu memoria,
como pétalo azul está la gloria
doliente, noble y casta de mis versos.

¡No puedes olvidarme: te condeno
a un recuerdo tenaz! Mi amor ha sido
lo más alto en tu vida, lo más bueno;
y sólo entre los légamos y el cieno
surge el pálido loto del olvido.

Me verás dondequiera: en el incierto
anochecer, en la alborada rubia,
y cuando hagas labor en el desierto
corredor, mientras tiemblan en tu huerto
los monótonos hilos de la lluvia.

¡Y habrás de recordar! Ésa es la herencia
que te da mi dolor, que nada ensalma.
¡Seré cumbre de luz en tu existencia,
y un reproche inefable en tu conciencia
y una estela inmortal dentro de tu alma!

A LEONOR

Tu cabellera es negra como el ala
del misterio; tan negra como un lóbrego
jamás, como un *adiós*, como un *¡quién sabe* . . .!
Pero hay algo más negro aún: ¡tus ojos!

Tus ojos son dos magos pensativos,
dos esfinges que duermen en la sombra,
dos enigmas muy bellos . . . Pero hay algo,
pero hay algo más bello aún: ¡tu boca!

Tu boca, ¡oh, sí!; tu boca, hecha divinamente
para el amor, para la cálida
comunión del amor, tu boca joven . . .
Pero hay algo mejor aún: ¡tu alma!

Tu alma recogida, silenciosa,
de piedades tan hondas como el piélago,
de ternuras tan hondas . . .
                                    Pero hay algo,
pero hay algo más hondo aún: ¡tu ensueño!

¡MUERTA!

En vano entre las sombras mis brazos, siempre
[abiertos,
asir quieren su imagen con ilusorio afán.
¡Qué noche tan callada, qué limbos tan inciertos!
¡Oh, Padre de los vivos, ¿adónde van los muertos,
adónde van los muertos, Señor, adónde van?

Muy vasta, muy distante, muy honda, sí, honda,
¡pero muy honda!, debe ser, ¡ay!, la negra onda
en que navega su alma como un tímido albor,
para que aquella madre tan buena no responda
ni se estremezca al grito de mi infinito amor.

Glacial, sin duda, es esa zona que hiende. Fría,
¡oh, sí!, muy fría, ¡pero muy fría!, debe estar,
para que no la mueva la voz de mi agonía,
para que todo el fuego de la ternura mía
su corazón piadoso no llegue a deshelar.

Acaso en una playa remota y desolada,
enfrente de un océano sin límites, que está

convulso a todas horas, mi ausente idolatrada
los torvos horizontes escruta, con mirada
febril, buscando un barco de luz que no vendrá.

¡Quién sabe por qué abismos hostiles y
                                    [encubiertos
sus blancas alas trémulas el vuelo tenderán!
¡Quién sabe por qué espacios brumosos y desiertos!
¡Oh, Padre de los vivos, ¿adónde van los muertos,
adónde van los muertos, Señor, adónde van?

Tal vez en un planeta bañado de penumbra
sin fin, que un Sol opaco, ya casi extinto alumbra,
cuitada peregrina, mirando en rededor
ilógicos aspectos de seres y de cosas,
absurdas perspectivas, creaciones misteriosas,
que causan extrañeza sutil y vago horror.

Acaso estoy muy sola. Tal vez mientras
                                    [pienso
en ella, está muy triste; quizá con miedo esté.
Tal vez se abre a sus ojos algún arcano inmenso.
¡Quién sabe lo que siente, quién sabe lo que ve!

Quizá me grita: "¡Hijo!" buscando en mí un
                                    [escudo.
¡Quién sabe lo que siente, quién sabe lo que ve!
(¡mi celo tantas veces en vida la amparó!),

y advierte con espanto que todo se halla mudo,
que hay algo en las tinieblas, fatídico y sañudo,
que nadie la protege ni le respondo yo.

¡Oh, Dios!, me quiso mucho; sus brazos siempre
[abiertos
como un gran nido, tuvo para mí loco afán.
Guiad hacia la vida sus pobres pies inciertos...
¡Piedad para mi muerta! Piedad para los muertos.
¿Adónde van los muertos, Señor, adónde van?

SENSACIONES DE ANTAÑO

En las tardes de mayo,
después de la tormenta,
cuando el ambiente húmedo
trasciende a arcilla fresca,
nostálgico de antiguas
sensaciones de América,
desearía ir por calles
espaciosas, desiertas,
en donde hubiera casas
limitada por rejas;
y tener una novia
que con la cabellera
mojada aún del baño,
me aguardase en la verja,
entre las campanillas
de las enredaderas...

O bien en la ventana
de una casa de hacienda,
leer alguno de esos
libros, en que se cuentan
aventuras de príncipes

perdidos en la selva;
mientras que las crecientes
que avanzan por las quiebras,
espumarajeando
de rabia entre las peñas,
arrastran desgajadas
ramazones y reinan
en la atmósfera, vasta
palpitación eléctrica,
perfumes de resinas
y aliento de mareas.

PANORAMA

Un parque inmenso:
con sus glorietas,
sus avenidas
y sus misterios.

Un verde estanque:
con su agua inmóvil,
con sus barquillas
y con sus ánades.

Una montaña:
con su castillo,
con su leyenda,
con su fantasma.

Una princesa:
por entre el bosque,
junto al estanque,
tras de la almena.

Y sobre de ello,
princesa, bosque, castillo, estanque,
flotando apenas,
mi ensueño.

LA CANONESA

—Os idolatro, marquesa,
de mi alma hicisteis presa:
ya sólo vuestra será
¿Y vos?
       —No sé qué dirá
¡mi tía la canonesa!

—De obediencia sois modelo;
mas vos, decid, vos, ¿me amáis?
¡Oh, sí!, ya que me dejáis
mirar, mirándoos, el cielo.

—¡No me retardéis, pues, esa
blanca mano, reina mía!
—¿Y si no place a mi tía
la canonesa?

—¡Le placerá, vive Dios!
...Y perdonadme, Clarisa,
si he jurado desta guisa
estando cerca de vos...

Mas ¡ay!, que mi alma os ansía
y vos os mofáis así...
—Yo os amara: pero ¿y
la canonesa mi tía?

—¡Ingrata! y aún apura
de su sarcasmo el rigor,
¡y ni la entibia mi amor
ni la mueve mi ternura!
Pues bien: muera yo, y que aquí
termine ya mi agonía...
—No, no hagáis tal, por mi tía
la canonesa... (y por mí).

AUTOBIOGRAFÍA

¿Versos autobiográficos? Ahí están mis
                                        [canciones,
allí están mis poemas: yo, como las naciones
venturosas y a ejemplo de la mujer honrada,
no tengo historia: nunca me ha sucedido nada,
¡oh, noble amiga ignota!, qué pudiera contarte.

Allá en mis años mozos, adiviné del arte
la armonía y el ritmo, caros al Musageta,
y, pudiendo ser rico, preferí ser poeta.
—¿Y después?
                —He sufrido como todos y he amado.
—¿Mucho?
            —Lo suficiente para ser perdonado...

LA MONTAÑA

Desde que no persigo las dichas pasajeras,
muriendo van en mi alma temores y ansiedad:
la vida se me muestra con amplias y severas
perspectivas, y siento que estoy en las laderas
de la montaña augusta de la serenidad.

Comprendo al fin el vasto sentido de las cosas;
sé escuchar en silencio lo que en redor de mí
murmuran piedras, árboles, ondas, auras y rosas...
y advierto que me cercan mil formas misteriosas
que nunca presentí.

Distingo un santo sello sobre todas las frentes:
un divino *me fecit Deus*, por doquier;
y noto que me hacen signos inteligentes
las estrellas, arcano de las noches fulgentes,
y las flores, que ocultan enigmas de mujer.

La esfinge, ayer adusta, tiene hoy ojos serenos;
en su boca de piedra florece un sonreír

cordial, y hay en la comba potente de sus senos
blanduras de almohada para mis miembros, llenos
a veces de la honda laxitud de vivir.

Mis labios, antes pródigos de versos y canciones,
ahora experimentan el deseo de dar
ánimo a quien desmaya, de verter bendiciones,
de ser caudal perenne de aquellas expresiones,
que saben consolar.

Finé mi humilde siembra; las mieses en las eras
empiezan a dar fruto de amor y caridad;
se cierne un gran sosiego sobre mis sementeras;
mi andar es firme...
        ¡Y siento que estoy en las laderas
de la montaña augusta de la serenidad!

VENGANZA

Hay quien arroja piedras a mi techo y después
hurta hipócritamente las manos presurosas
que me dañaron...

Yo no tengo piedras, pues
sólo hay en mi huerto rosales de olorosas
rosas frescas y tal mi idiosincrasia es,
que aun escondo la mano tras de tirar las rosas.

ÉXTASIS

¡Serenidad! ¡Serenidad!

                              El mar,
como un gran poeta, nos anima
al ensueño y el enjambre estalar
tan inmediato nos parece estar
cual si fuese a caérsenos encima,
derrumbándose como inmenso altar...

Un gran fleco espumoso
se desgarra en la arena lentamente,
como encaje de albor fosforescente
y a la vez —oh, milagro!— melodioso.

El mar, así arropado
en la diáfana noche diamantina,
se nos figura más desmesurado
que cuando a plena luz lo hemos mirado:
¡siempre es más grande lo que se adivina!

¡Serenidad! ¡Serenidad!

La palma
con esbelteces núbiles, descuella
cual sulamita en éxtasis,

...y el alma
comulga con la luz de cada estrella.

YO NO SOY DEMASIADO
SABIO...

Yo no soy demasiado sabio para negarte,
Señor; encuentro lógica tu existencia Divina;
me basta con abrir los ojos para hallarte;
la creación entera me convida a adorarte,
y te adoro en la rosa y te adoro en la espina.

¿Qué son nuestras angustias para querer por
argüirte de cruel? ¿Sabemos, por ventura,
si tú con nuestras lágrimas fabricas las estrellas.
si los seres más altos, si las cosas más bellas
se amasan con el noble barro de la amargura?

Esperemos, suframos, no lancemos jamás
a lo invisible nuestra negación como un reto.
Pobre criatura triste, ¡ya verás, ya verás!
La muerte se aproxima... ¡De sus labios oirás
el celeste secreto!

ESTOY CONTENTO

Estoy contento porque lo creado
no tiene límites: estoy contento
porque es fatal esta ascensión humana
hacia la luz: porque hay cientos de sabios
que, en sus laboratorios,
van arrancando a Isis sus secretos:
porque una fulgurante
legión de altos poetas
ahonda cada vez en el océano
del subconsciente:
porque se acerca el plazo
en que, cual una aurora irresistible
que invadirá y envolverá la Tierra,
ha de venirnos la Revelación...
La ciencia y la poesía
la traerán, cada una de la mano;
y entonces ya no habrá ningún arcano
y en las almas, ¡por fin!, será de 'día.

LO ETERNO

¿Vamos suprimiendo las dedicatorias,
amigos poetas? ¿Vamos suprimiendo
todos esos azúcares tontos,
ese adjetivo
depreciado: los "grandes", "eximios",
"eminentes", "geniales", "excelsos"?

Una firma quizá... eso sólo;
y después de la firma, ¡talento!
La tersura serena del libro
y la gracia ondulante del verso.

¡AMEMOS!

Si nadie sabe ni por qué reímos
ni por qué lloramos;
si nadie sabe ni por qué vinimos
ni por qué nos vamos;

si en un mar de tinieblas nos movemos,
si todo es noche en derredor y arcano,
¡a lo menos amemos!
¡Quizá no sea en vano!

EL SECRETO

Hay en tus ojos azules
un gran secreto escondido,
y hay al mirarte, Señora,
una pregunta en los míos...

¿Cuál es la pregunta? ¿Cuál es el secreto?
¡Yo lo sé de sobra, pero no lo digo!
Tú, bien lo sabes, pero te lo callas...

Digámoslo entrambos, si te place, a un mismo
tiempo y de manera que nadie lo escuche:
con los trémulos labios unidos...

(1908)

BIEN HAYA LA VIDA

Entre el amor que se me va
y el amor nuevo que hoy asoma,
mi corazón, suspenso ya,
como el sepulcro de Mahoma,
entre dos imanes está.

Bien haya la vida,
que si tanto el mar se lleva,
nos da en cambio una fe nueva
por cada fe perdida.

Adiós, rubia, que me ofreciste
lo más precioso que tenías;
y tú, morena, que viniste
esta mañana, ¡buenos días!

Bien haya la vida
que si tanto al mar se lleva,
¡nos da en cambio una fe nueva
por cada fe perdida!

COBARDÍA

Pasó con su madre. ¡Qué rara belleza!
¡Qué rubios cabellos de trigo garzul!
¡Qué ritmo en el paso! ¡Qué innata realeza
de porte! ¡Qué formas bajo el fino tul...!
Pasó con su madre. Volvió la cabeza:
¡me clavó muy hondo su mirada azul!

Quedé como en éxtasis...
Con febril premura,
"¡Síguela!", gritaron cuerpo y alma al par.
∴ Pero tuve miedo de amar con locura,
de abrir mis heridas, que suelen sangrar,
¡y no obstante toda mi sed de ternura,
cerrando los ojos, la dejé pasar!

A MÉXICO

¡Ay, infeliz México mío!
Mientras con raro desvarío
vas de una en otra convulsión,
del lado opuesto del río
te está mirando, hostil y frío,
el ojo claro del sajón.

¡Cese tu lucha fratricida!
¡Da tregua al ímpetu suicida!
¿Surges apenas a la vida
y loco quieres ya morir?
¿Torna a la digna paz distante
que ennobleció tu ayer radiante,
y abre un camino de diamante
en el oscuro porvenir!

MI MÉXICO

Nací de una raza triste,
de un país sin unidad
ni ideal ni patriotismo;
mi optimismo
es tan sólo voluntad;

obstinación en querer,
con todos mis anhelares,
un México *que ha de ser,*
a pesar de los pesares,
y que yo ya no he de ver...

(febrero 23 de 1915)

EL PICAPEDRERO

El picapedrero, pedazo a pedazo,
quebranta la piedra y es como el destino,
que esgrime su mazo,
y a fuerza de golpes te vuelve divino.

sin golpes de mazo, la luz no chispea
como pensamiento del pedrusco herido...
Destino, buen picapedrero, golpea,
y nazca a tus golpes brillando la idea,
y surja en las almas el dios escondido.

(Buenos Aires, abril de 1919)

¿LLORAR? ¿POR QUÉ?

Éste es el libro de mi dolor:
lágrima a lágrima lo formé;
una vez hecho, te juro, por
Cristo, que nunca más lloraré.
¿Llorar? ¿Por qué?

Serán mis rimas como el rielar
de una luz íntima, que dejaré
en cada verso; pero llorar,
¡eso ya nunca! ¿Por quién? ¿Por qué?

Serán un plácido florilegio,
un haz de notas que regaré,
y habrá una risa por cada arpegio.
¿Pero una lágrima? ¡Qué sacrilegio!
Eso ya nunca. ¿Por quién? ¿Por qué?

Era llena de gracia, como el Avemaría;
¡quien la vio, no la pudo ya jamás olvidar!

Era llena de gracia, como el Avemaría,
y a la Francia volvióse, mi ensueño y mi amor.

GRATIA PLENA

Todo en ella encantaba, todo en ella atraía:
su mirada, su gesto, su sonrisa, su andar...
El ingenio de Francia de su boca fluía.
Era *llena de gracia*, como el Avemaría;
¡quien la vio, no la pudo ya jamás olvidar!

Ingenua como el agua, diáfana como el día,
rubia y nevada como Margarita sin par,
al influjo de su alma celeste, amanecía...
Era *llena de gracia* como el Avemaría,
¡quien la vio, no la pudo ya jamás olvidar!

Cierta dulce y amable dignidad la investía
de no sé qué prestigio lejano y singular...
Más que muchas princesas, princesa parecía;
era *llena de gracia*, como el Avemaría;
¡quien la vio, no la pudo ya jamás olvidar!

Yo gocé el privilegio de encontrarla en mi vida
dolorosa; por ella tuvo fin mi anhelar.

y cadencias arcanas halló mi poesía...
Era *llena de gracia,* como el Avemaría;
¡quien la vio, no la pudo ya jamás olvidar!

¡Cuánto! ¡Cuánto la quise! Diez años fue mía
¡pero flores tan bellas nunca pueden durar!
¡Era *llena de gracia,* como el Avemaría,
y a la fuente de gracia, de donde procedía,
se volvió... como gota que se vuelve a la mar!

(marzo de 1912)

¡CÓMO SERÁ!

Si en el mundo fue tan bella,
¿cómo será en esa estrella
donde está?
¡Cómo será!

Si en esta prisión oscura,
en que más bien se adivina
que se palpa la hermosura,
fue tan peregrina,
¡cuán peregrina será
en el más allá!

Si de tal suerte me quiso
aquí, ¿cómo me querrá
en el azul paraíso
en donde mora quizá?
¡Cómo me querrá!

Si sus besos eran tales
en vida, ¡cómo serán
sus besos espirituales!

¡Qué delicias inmortales
no darán!
Sus labios inmateriales,
¡cómo besarán!

... Siempre que medito en esa
dicha que alcanzar espero,
clamo, cual Santa Teresa,
que muero porque no muero:
hallo la vida muy tarda
y digo: ¿cómo será
la ventura que me aguarda
donde ella está?
¡Cómo será!

(abril de 1912)

CÓMO CALLAN LOS MUERTOS

¡Qué despiadados son

en su callar los muertos!

                    Con razón

todo mutismo trágico y glacial,

todo silencio sin apelación

se llama: *un silencio sepulcral.*

(abril 29 de 1912)

ME BESABA MUCHO

Me besaba mucho, como si temiera
irse muy temprano... Su cariño era
inquieto, nervioso.
                        Yo no comprendía
tan febril premura. Mi intención grosera
nunca vio muy lejos...
                        ¡Ella presentía!

Ella presentía que era corto el plazo,
que la vela herida por el latigazo
del viento, aguardaba ya..., y en su ansiedad
quería dejarme su alma en cada abrazo,
poner en sus besos una eternidad.

(mayo 4 de 1912)

¡QUÉ BIEN ESTÁN LOS MUERTOS!

¡Qué bien están los muertos,
ya sin calor ni frío,
ya sin tedio ni hastío!

Por la tierra cubiertos,
en su caja extendidos,
blandamente dormidos...

¡Qué bien están los muertos,
con las manos cruzadas,
con las bocas cerradas!

¡Con los ojos abiertos,
para ver el arcano
que yo persigo en vano!

¡Qué bien estás mi amor,
ya por siempre exceptuada
de la vejez odiada,

del verdugo dolor...,
inmortalmente joven,
dejando que te troven

su trova cotidiana
los pájaros poetas
que moran en las quietas

tumbas, y en la mañana,
donde la muerte anida,
saludan a la vida!

(junio 17 de 1912)

JACULATORIA A LA NIEVE

¡Qué milagrosa es la Naturaleza!
Pues ¿no da luz la nieve?

Inmaculada
y misteriosa; trémula y callada,
paréceme que mudamente reza
al caer...

¡Oh, nevada!
Tu ingrávida y glacial eucaristía
hoy del pecado me absuelva
y haga que, como tú, mi alma se vuelva
fúlgida, blanca, silenciosa y fría.

(enero 17 de 1914)

RESOLUCIÓN

Alma, tienes por fuerza que alcanzar en la vida
el ideal sublime que a seguir te convida
por entre breñas ásperas.

              Alma, en vano recelas
del dolor: mis propósitos son como dos espuelas
que te harán sangre . . . Fuerza será, cuando te
                                  [pares,
que sientas, despiadada, clavarse en tus ijares
mi voluntad de acero; fuerza será subir . . .

   ¡Contempla, allá, muy lejos, la cima de zafir,
adonde has de llegar antes que la jornada
termine!
        ¡Alma, no esperes de mí piedad ni nada
que no sea espolazo, aguijón y castigo!

  . . . Hoy has de sonreír al cruel enemigo
que ayer te hincó su dardo . . .

Bien sé que anhelarías
quebrantar su soberbia; que sin duda podrías
hundir su oscura frente en la tierra que pisa;
mas sólo habrás de darle la flor de tu sonrisa,
y por cada punzante, por cada dolorosa
espina que te clave, ¡devolverle una rosa!

(abril 18 de 1914)

LUGAR COMÚN

Lugar común, seas
loado por tu límpida prosapia,
y nunca más desdéñente los hombres.
Expresión dicha ya por cien millones
de bocas, está así santificada.

Cien millones de bocas
han clamado: "Dios mío", y cien millones
de veces el Eterno
encarnó en ese grito.

Cien millones de bocas
dijeron: "Yo te amo",
y al decirlo engendraron cien millones
de veces al amor, padre del mundo.

Hay todavía locos que pretenden
decirnos algo nuevo, porque ignoran
los libros esenciales
en que está dicho todo.

Buscan las frases bárbaras,
las torcidas sintaxis,
los híbridos vocablos nunca juntos
antes, y gritan: Soy un genio, "¡eureka!"
... Mas los sabios escuchan y sonríen.

¡Oh, tú, Naturaleza, madre santa!
¡Oh, tú, la siempre igual y siempre nueva,
monótona, uniforme, simple, como
la eternidad: bendita para siempre!

Bendito seas, mar, cantor perpetuo
de la misma canción... Bendito seas,
viento, que hieres las perennes cuerdas
de los árboles quietos y sumisos.

Benditos seáis, moldes
de donde surge el mundo cada día
semejante a sí propio;
bendita la unidad de las estrellas;
bendita la energía
de donde todo viene y que es idéntica
bajo diversas fases ilusorias.

Hablemos cual los dioses,
que siempre hablan lo mismo.
Digamos las palabras

sagradas que dijeron los abuelos
al reír y al llorar,
al amar y al morir...

Mas al decir: "amor", "dolores", "muerte",
digámoslo en verdad,
con amor, con dolores y con muerte.

(mayo 14 de 1914)

HOY HE NACIDO

Cada día que pase, has de decirte:
"¡Hoy he nacido!
El mundo es nuevo para mí; la luz
ésta que miro,
hiere sin duda por la vez primera
mis ojos límpidos;
la lluvia que hoy desfleca sus cristales
es mi bautismo.

"Vamos, pues, a vivir un vivir puro,
un vivir nítido.
Ayer, ya se perdió: ¿fue malo?, ¿bueno?
... Venga el olvido,
y quede sólo, de ese ayer, la esencia,
el oro íntimo
de lo que amé y sufrí mientras marchaba
por el camino.

"Hoy, cada instante, al bien y a la alegría
será propicio;
y la esencial razón de mi existencia,
mi decidido

afán, volcar la dicha sobre el mundo,
verter el vino
de la bondad sobre las bocas ávidas
en redor mío.

   "Será mi sola paz la de los otros;
su regocijo
mi regocijo, su soñar mi ensueño;
mi cristalino
llanto el que tiemble en los ajenos párpados;
y mis latidos,
los latidos de cuantos corazones
palpiten en los orbes infinitos.

   Cada día que pase, has de decirte:
"¡Hoy he nacido!"

   (julio 12 de 1914)

¡RENOMBRE!

¡Renombre, renombre!, ¿qué quieres de mí?
¡Déjame en mi sombra, tu vuelo detén,
calla de tus trompas el son baladí...!
¡Si hicieseis ruido se iría de aquí
Dios, único bien!

(Celoso es el numen, de veras celoso.
Muy más que el *virtuoso*,
que al interpretar
las obras sublimes de su repertorio,
impone silencio tal a su auditorio
que se ofende casi de su respirar...)

¡Renombre, renombre, vete! Muchos quieren
que halagues su oído;
muchos que se mueren
de hambre y sed de elogios... Olvídame a mí,
con un gran olvido:
como si jamás hubiera existido.
...Y no hagas ruido
que estoy bien así.

TODO YO

Todo yo soy un acto de fe.
Todo yo soy un fuego de amor.
En mi frente espaciosa lee,
mira bien en mis ojos de azor:
¡hallarás las dos letras de *fe*
y las cuatros radiantes, de *amor!*

Si vacilas, si deja un porqué
en tu boca, su acerbo amargor,
¡ven a mí, yo convenzo, yo *sé!*

Mi vida es mi argumento mejor.
Todo yo soy un acto de *fe.*
Todo yo soy un fuego de *amor.*

(febrero \9 de 1915)

¡ENSÉÑAME EL CAMINO!

¿Qué tiempo tienes tú para estar triste,
si toda tu existencia es de los otros?
Jamás bajaste al fondo de ti misma,
e ignoras el océano
de claridad que llevas.
Espejo es tu alma, que, apacible, copia
la santidad remota de los astros.

Pero tú no lo sabes.
Tú, en el ardor de caridad perpetua
te derramas; tus penas
son las penas del mundo; en tus entrañas
de mujer, llora y ríe
la humanidad entera.
Cuando te extingas para siempre, acaso
ni siquiera sabrás la luz que diste.

¡ ¹ cielo...! ¡Y para qué, si tú lo llevas
dentᵣ de ti! ¡Qué goce puede darse
a quiє realiza en todos los minutos
la suprε ᴧa ventura!

¿Qué visión beatífica
vais a ofrecer a quien es uno msimo
con Dios. . . ?

¡Oh, mi hermanita, mi hermanita,
déjame contemplar tus tocas blancas,
ue irradian un fulgor de nieve pura
ntre la sombra de la estancia, donde
agoniza el enfermo a quien asistes,
y por quien amorosa te desvelas!

Déjame contemplar tus nobles canas,
tus arrugas, que son como celestes
surcos en donde el Sembrador Divino
su simiente inmortal sembró. . .

Permite
que me mire en tus claros ojos dulces,
inocentes y castos, en que brilla
la promesa de transfiguraciones
cercanas. . . ¡Santifíqueme tu influjo!

Enséñame, hermanita,
enséñame el camino
para llegar a Dios. . .

¡Por la infinita
soledad, yo le busco de continuo,

con un alma viril... pero marchita,
que su riego divino
sobre todas las cosas necesita!

Enséñame, hermanita,
enséñame el camino...

(febrero 24 de 1915)

AMABLE Y SILENCIOSO

Amable y silencioso ve por la vida, hijo.
Amable y silencioso como rayo de Luna...
En tu faz, como flores inmateriales, deben
florecer las sonrisas.

Haz caridad a todos de esas sonrisas, hijo.
Un rostro siempre adusto es un día nublado,
es un paisaje lleno de hosquedad, es un libro
en idioma extranjero.

Amable y silencioso ve por la vida, hijo.
Escucha cuanto quieran decirte y tu sonrisa
sea elogio, respuesta, objeción, comentario,
advertencia y misterio...

(marzo 5 de 1915)

LA HONDURA INTERIOR

Desde que sé las cosas bellas,
los mil incógnitos veneros
de luz, las fuerzas misteriosas
que el hombre lleva en su interior,
¡ya no me importan las estrellas
ni los cometas agoreros
ni las arcadas nebulosas,
con su fosfóreo resplandor!

Ya no me importa del planeta
la claridad prestada y quieta;
ya no contemplo al taciturno
y melancólico Saturno,
con sus anillos y el cortejo
de diez satélites, errar
por la extensión como un dios triste
bajo la pompa que lo viste...

Ya no me encanta el oro viejo
de nuestra Luna familiar.

¡Qué vale, en suma todo eso!
(Materias cósmicas, exceso
de vano gas en combustión . . .)
¡Qué vale en suma, ante el abismo
vertiginoso de uno mismo
que nos espanta la razón!

¡A qué mirar constelaciones
en el profundo azul turquí!
¡A qué escrutar las extensiones!
¿Qué nos diréis, astros distantes
inmensos orbes rutilantes?
¡El gran misterio no está allí!

. . . En el silencio de mi pieza,
en tantas noches de tristeza,
en que la copa del vivir
hay que apurar hasta las heces,
¡oh, cuántas veces, cuántas veces
cerré los ojos sin dormir!

Y vi, sin ver, luces tan puras,
tanto fulgor, arquitecturas
de una tan vasta concepción,
enigma tal, tales honduras,
que ya no miro las alturas,
y está cerrado mi balcón.

...Descansa en paz, anteojo mío,
en tu gran caja de nogal:
ya no te asomes al vacío
con tu pupila de cristal.
Descansa en paz, anteojo mío,
en tu gran caja de nogal.

(marzo 8 de 1915)

SE VA UNA TARDE MÁS . . .

Se va una tarde más . . . ¿Viviremos mañana?
¿Volveremos a veros, crepúsculos de grana?
¿Tornaremos a oírte, plañidera campana?

Se va una tarde más. Suena en la *Encarnación*,
incomparablemente mística, la oración.
Se bañan ya de sombra los muros del convento,
mientras que de la esquila solloza el ritmo lento.

Quizá en este instante, muchas monjas extáticas
con el divino Esposo mantienen dulces pláticas,
y gozan de sublimes caricias interiores . . .

En tanto que tú, presa de continuos dolores,
con tus anhelos libras la más porfiada lucha,
e inútilmente pides la paz al escondido.
Señor que mora en tu alma; pero que no te escucha,
porque no lo mereces . . . , ¡o porque está dormido!

¡Recuérdalo! Quién sabe si *su corazón vela*
para que no zozobre tu barca en la procela...
Sacúdelo con fuerza si prosigue durmiendo:
clama en su oreja misma con desusado brío.
Verás cómo a la postre despierta sonriendo,
te ampara entre sus brazos y murmura: ¡Hijo mío!

(marzo 16 de 1915)

EN PAZ

Muy cerca de mi ocaso, yo te bendigo, vida
porque nunca me diste ni esperanza fallida
ni trabajos injustos, ni pena inmerecida;

porque veo al final de mi rudo camino,
que yo fui el arquitecto de mi propio destino;

que si extraje las mieles o la hiel de las cosas,
fue porque en ellas puse hiel o mieles sabrosas;
cuando planté rosales coseché siempre rosas.

. . .Cierto, a mis lozanías va a seguir el invierno;
¡mas tú no me dijiste que mayo fuese eterno!

Hallé sin duda largas las noches de mis penas;
mas no me prometiste tú sólo noches buenas,
y en cambio tuve algunas santamente serenas . . .

Amé, fui amado, el Sol acarició mi faz.
¡Vida, nada me debes! ¡Vida, estamos en paz!

(mayo 6 de 1915)

LA INJUSTICIA

¿Qué tienes? ¿Por qué tiemblas, tú, que nunca
has sabido temblar? ¿Por qué te agitas,
tú, el de serenidad incomparable,
el de alma diamantina?

¿Por ventura se vuelca el océano
sobre los continentes? ¿Se desquicia
por ventura el planeta? ¿Por ventura
se extingue ya en la bóveda infinita
la majestad de las constelaciones?

—Más grave es la razón, amiga mía,
de mi miedo: hace apenas una hora
iba yo a cometer una injusticia...
¡y no hay conflagración ni cataclismo
que deba dar más pánico en la vida!

(mayo 3 de 1915)

EXPECTACIÓN

Siento que algo solemne va a llegar a mi vida.
¿Es acaso la muerte? ¿Por ventura el amor?
Palidece mi rostro; mi alma está conmovida,
y sacude mis miembros un sagrado temblor.

Siento que algo sublime va a encarnar en mi
[barro,
en el mísero barro de mi pobre existir.
Una chispa celeste brotará de un guijarro
y la púrpura augusta va el harapo a teñir.

Siento que algo solemne se aproxima, y me hallo
todo trémulo; mi alma de pavor llena está;
que se cumpla el destino, que Dios dicte su fallo,
mientras yo, de rodillas, oro, espero y me callo
para oír la palabra que el *abismo* dirá.

(marzo 20 de 1915)

TANTO AMOR

Hay tanto amor en mi alma, que no queda
ni el rincón más estrecho para el odio.
¿Dónde quieres que ponga los rencores
que tus vilezas engendrar podrían?

Impasible no soy: todo lo siento,
lo sufro todo... Pero como el niño
a quien hacen llorar, en cuanto mira
un juguete delante de sus ojos
se consuela, sonríe,
y las ávidas manos
tiende hacia él sin recordar la pena;
así yo, ante el divino panorama
de mi ideal, ante lo inenarrable
de mi amor infinito,
no siento ni el maligno alfilerazo
ni la cruel y afilada
ironía, ni escucho la sarcástica
risa. Todo lo olvido,

porque soy sólo corazón, soy ojos
no más, para asomarme a la ventana
y ver pasar al inefable ensueño,
vestido de violeta,
y con toda la luz de la mañana,
de sus ojos divinos en la quieta
limpidez de fontana . . .

(mayo 16 de 1915)

EL CASTAÑO NO SABE...

El castaño no sabe que se llama castaño;
nas al aproximarse la madurez del año,
nos da su noble fruto de perfume otoñal;
y Canopo no sabe que Canopo se llama;
pero su orbe coloso nos envía su llama,
y es de los universos el eje sideral.

Nadie mira la rosa que nació en el desierto;
mas ella, ufana, erguida, muestra el cáliz abierto,
cual si mandara un ósculo perenne a la extensión.
Nadie sembró la espiga del borde del camino,
ni nadie la recoge; mas ella, con divino
silencio, dará granos al hambriento gorrión.

¡Cuántos versos, ¡oh, 'cuántos!, pensé que nunca
                                        [he escrito,
llenos de ansias celestes y de amor infinito,
que carecen de nombre, que ninguno leerá;
pero que, como el árbol, la espiga, el Sol, la rosa,
cumplieron ya, prestando su expresión armoniosa
a la *inefable esencia,* que es, ha sido y será!

(junio 23 de 1915)

DOS SIRENAS

Dos sirenas que cantan: el amor y el dinero
Mas tú sé como Ulises, previsor y sagaz;
tapa bien las orejas a piloto y remero,
y que te aten al mástil de tu barco ligero;
que, si salvas la sirte, ¡tu gran premio es la paz!

Es engaño el dinero y el amor es engaño:
cuando juzgas tenerlo, una transmutación
al amor trueca en tedio; trueca al oro en estaño...
El amor es bostezo y el placer hace daño
(Esto ya lo sabías, ¡oh, buen rey Salomón!)

Pero el hombre insensato por el oro delira,
y de amor vanamente sigue el vuelo fugaz...
Sólo el sabio, el asceta, con desprecio los mira.
Es mentira el dinero y el amor es mentira:
si los vences, conquistas el bien sumo: ¡la paz!

(julio 9 de 1915)

SI UNA ESPINA ME HIERE...

Si una espina me hiere, me aparto de la espina,
... ¡pero no la aborrezco!
                Cuando la mezquindad
envidiosa en mí clava los dardos de su inquina,
esquívase en silencio mi planta y se encamina
hacia más puro ambiente de amor y caridad.

¿Rencores? ¡De qué sirven! ¡Qué logran los
                    [rencores!
Ni restañan heridas, ni corrigen el mal.
Mi rosal tiene apenas tiempo para dar flores,
y no prodiga savias en pinchos punzadores:
si pasa mi enemigo cerca de mi rosal,

se llevará las rosas de más sutil esencia;
y si notare en ellas algún rojo vivaz,
¡será el de aquella sangre que su malevolencia
de ayer vertió, al herirme con encono y violencia,
y que el rosal devuelve, trocada en flor de paz!

(julio 13 de 1915)

SÉ COMO LA MONTAÑA

Sé como la montaña, que mira al Sol primero
que el valle. ¿Por ventura con la poesía, el don
no se te dio más alto, más noble y verdadero;
la ventana escondida por donde el prisionero
ya se asoma al arcano del mundo: la intuición?

Sé también como la torre, que platea la Luna
antes que el caserío y sé como fanal
que atalaya el océano más que mirada alguna.
Empina bien tu ensueño, para que a su oportuna
luz, divises más pronto tu lejano ideal.

(julio 26 de 1915)

MI FILOSOFÍA

Yo te destilo mi filosofía,
porque así la comprendas, niña mía,
con ella tus anhelos atemperes,
y, contemplando en paz la lejanía
de tu seguro edén, ames y esperes.

Cada vez que te quejes de impotencia,
cada vez que resurge tu impaciencia
por no asir el ensueño, aun lejano,
yo te predico, amor, que la existencia
nunca a los buenos les promete en vano.

Que las flores que ansías para ahora,
secretan ya su miel embriagadora,
y a su tiempo han de abrir el rojo broche;
que el bien que no llegó para la aurora,
sin duda llegará para la noche.

Por el imán de tu querer traído,
y siempre será bien y bienvenido;
pues con una opulencia milagrosa,
ha de pagarte todo lo sufrido.
La rosa que más tarde ha florecido,
dice Aubigné que es la más bella rosa...

(agosto 21 de 1915)

CONTIGO

Espíritu que no hallas tu camino,
que hender quieres el cielo cristalino
y no sabes qué rumbo
has de seguir y vas de tumbo en tumbo,
llevado por la fuerza del destino:

¡Detente! Pliega el ala voladora;
¡buscas la luz y en ti llevas la aurora;
recorres un abismo y otro abismo
para encontrar al Dios que te enamora,
y a ese Dios tú lo llevas en ti mismo!

¡Y el agitado corazón latiendo,
en cada golpe te lo está diciendo,
y un misterioso instinto,
de tu alma en el oscuro laberinto,
te lo va noche a noche repitiendo!

...¡Mas tú sigues buscando lo que tienes!
Dios en ti, de tus ansias es testigo,
y, mientras pesaroso vas y vienes,
como el duende del cuento, Él va contigo.

CORAZÓN

Corazón, sé una puerta cerrada para el odio:
de par en par abierta siempre para el amor.
Sé lámpara de ensueños celestes y custodio
de cuanto noble germen nos prometa una flor.

Corazón, ama a todos, late por todo anhelo
santo, tiembla con todo divino presentir;
da sangre a cuanto impulso pretenda alzar el vuelo;
calor a todo intento de pensar y vivir.

Sé crátera de vino generoso, que mueva
a los grandes propósitos. Sé vaso de elección,
en donde toda boca sedienta la fe beba.
Sé roja eucaristía de toda comunión,
corazón.

(septiembre 8 de 1915)

EL VASO

Pobre amigo, ya pronto se vaciará tu vaso.
No pienses que fue un vaso más grande que los
[otros.
Hay en el mundo tanto dolor, que toca mucho
a cada alma; la tuya recibió su porción
bien servida . . . ; mas, ¡ay!, cuántas almas mejores
padecieron la dura preferencia de Cristo,
que sólo a los más grandes concede el privilegio
de los grandes dolores.

Pero vacío el cáliz, ya no es dulce ni amargo.
El paladar no tiene memoria de sabores,
y al salir del letargo,
¡quién piensa en lo bebido!
—¿Morir, es por ventura como no haber vivido?
—¡Morir es un olvido
de todas las espinas . . . , recordando las flores!

(noviembre 25 de 1915)

ME MARCHARÉ

Me marcharé, Señor, alegre o triste;
mas resignado, cuando al fin me hieras.
Si vine al mundo porque Tú quisiste,
¿no he de partir sumiso cuando quieras?

Un torcedor tan sólo me acongoja,
y es haber preguntado el pensamiento
sus porqués a la vida... ¡Mas la hoja
quiere saber dónde la lleva el viento!

Hoy, empero, ya no pregunto nada:
cerré los ojos y mientras el plazo
llega en que se termine la jornada,
mi inquietud se adormece en la almohada
de la resignación, ¡en tu regazo!

(diciembre 22 de 1915)

SI TÚ ME DICES: "¡VEN!"

Si tú me dices: "¡Ven!", lo dejo todo...
No volveré siquiera la mirada
para mirar a la mujer amada...
Pero dímelo fuerte, de tal modo

que tu voz, como toque de llamada,
vibre hasta en el más íntimo recodo
del ser, levante el alma de su lodo
y hiera el corazón como una espada.

Si tú me dices: "¡Ven!", lo dejo todo.
Llegaré a tu santuario casi viejo,
y al fulgor de la luz crepuscular;

mas he de compensarte mi retardo,
difundiéndome, ¡oh, Cristo!, como un nardo
de perfume sutil, ante tu altar.

(enero 20 de 1916)

LA MEJOR POESÍA

"No escribiré más versos, ¡oh, misteriosos
[númenes!,
no imprimiré más vanos y sonoros volúmenes"
—el poeta decía—.
"De hoy más, sea el silencio mi mejor poesía.
De hoy más, el ritmo noble de mis actos diversos,
sea, celestes númenes, el ritmo de mis versos.
De hoy más, estos mis ojos, de mirar claro y puro,
cerca de cuya lumbre todo verso es oscuro,
traduzcan lo inefable de mis ansias supremas,
mejor que las estrofas de los hondos poemas...
Y lo que su silencio no supiere expresar,
leedlo en las estrellas, las montañas, el mar;
en la voz temblorosa de una amante mujer
(siempre y cuando su enigma sutil sepáis leer);
en las brisas discretas, en el trueno salvaje,
y en la nube andariega que siempre va de viaje".

"¡Oh, diáfano hilo de agua: lo que yo callo di!
¡Oh, rosa milagrosa: haz tú versos por mí!"

(febrero 4 de 1916)

MÚSICA

Dijo el poeta al numen:
"Ya que inspirarme quieres,
inspírame algo nuevo,
que jamás por los hombres haya sido pensado...

"Ancho es el Cosmos, numen;
tan ancho, tan profundo,
que ni siquiera logra la razón asignarle
un límite... Y en este semillero de soles,
de mundos, de cometas, de nebulosas tenues
como mantos de hadas,
como la tela misma del ensueño, ¿no puedes
tú, invisible potencia, mente sutil y pura,
cosechar el gran lirio
de un pensamiento nunca por los hombres pensado?

"Tiende las alas, numen,
las alas impalpables.
Boga como un gran soplo sobre el mar de las
[causas.
Contempla los jardines místicos que florecen
en lejanos planetas;

escucha el ave de oro que derrama sus trinos
en los bosques de Venus,
al borde de los anchos canales del rojizo
Marte o en los milagrosos anillos de Saturno.
Salva nuestro sistema y al *alfa* del *centauro*,
Sol duplo y el más próximo,
de nuestro Sol, acércate.

"Llega a Sirio si puedes; ígneo coloso azul,
cuyo "punto de vista" preocupaba a Renán...
Escucha a los filósofos
que en algún manso valle de algún remoto mundo,
departen de las cosas arcanas y esenciales.

"Y cuando vuelvas, todo salpicado del trémulo
y diamantino polvo de las constelaciones,
numen, dime al oído tu hallazgo prodigioso,
a fin de que, expresándolo, me torne yo inmortal".

Y el numen le responde: "¡La idea que codicias
existe, y yo te diera sus divinas primicias;
pero tú no eres músico y ella es toda orquestal!

"Sólo las claves, sólo las pautas y las notas,
revelarán al mundo sus bellezas ignotas.
Platón oyó a los orbes su concierto ideal,
y Beethoven, a veces, lo escuchó en el mutismo
nocturno. Todo es música: los astros, el abismo,
las almas..., ¡y Dios mismo
es un Dios musical!"

SI ERES BUENO

Si eres bueno, sabrás todas las cosas,
sin libros; y no habrá para tu espíritu
nada ilógico, nada injusto, nada
negro, en la vastedad del Universo.

El problema insoluble de los fines
y las causas primeras,
que ha fatigado a la filosofía,
será para ti diáfano y sencillo.

El mundo adquirirá para tu mente
una divina transparencia, un claro
sentido y todo tú serás envuelto
en una inmensa paz...

(marzo 6 de 1916)

UNA Y OTRA

¡Tan misteriosa es la vida
como la muerte, poeta!

Esta inmersión del espíritu
en la materia
(o en lo que así llamamos), estos grillos,
esta ceguera;
este gran desfilar de las cosas,
y la inconsistencia
de todo lo que amamos;
este adiós sin remedio que nos da cuanto alienta,
¿no son acaso un enigma,
y un gran enigma, poeta?

Este rodar de los años,
este arder de las estrellas,
esta ley inexorable del número y el espacio
que al Cosmos liga y sujeta,
¿no son más inexplicables,
si bien se piensa,
que el persistir de tu yo,
que la simple vida etérea

146 —

y sutil de nuestras almas,
su vibración que no cesa,
en los planos invisibles
de la *realidad eterna?*

¡Tan misteriosa es la vida
como la muerte, poeta!

(marzo 5 de 1916)

EL GRAN VIAJE

¿Quién será, en un futuro no lejano,
el Cristóbal Colón de algún planeta?

¿Quién logrará, con máquina potente,
sondar el océano
del éter y llevarnos de la mano
allí donde llegaran solamente
los osados ensueños del poeta?

¿Quién será en un futuro no lejano
el Cristóbal Colón de algún planeta?

¿Y qué sabremos tras el viaje augusto?
¿Qué nos enseñaréis, humanidades
de otros orbes, que giran
en la divina noche silenciosa,
y que acaso hace siglos que nos miran?

Espíritus a quienes las edades
en su fluir robusto
mostraron ya la clave portentosa

de lo bello y lo justo,
¿cuál será la cosecha de verdades
que deis al hombre, tras el viaje augusto?

¿Con qué luz nueva escrutará el arcano?
¡Oh, la esencial revelación completa
que fije nuevo molde al barro humano!

¿Quién será en un futuro no lejano
el Cristóbal Colón de algún planeta?

(octubre de 1917)

REMANSO

¡Oh, cuán bueno es pasar inadvertido,
ulce fray Luis! Que no diga ninguno:
Ahí va el eminente, el distinguido...".

¡Qué suave regazo el del olvido!
¡Qué silencio mullido!
¡Qué remanso de paz tan oportuno!

Simplemente, al arrimo
de la Naturaleza, madre santa,
hacer la obra, dar el fruto ópimo,
como brinda su néctar el racimo,
!a fuente brota y el pardillo canta.

No pedir galardón ni recompensa,
feliz del fruto que cuajó en la rama.
Cordialmente pensar con cuanto piensa,
férvidamente amar con cuanto ama.

Sentirse uno por siempre con la esencia
misma de la perenne creación:
chispa consciente en su inmortal conciencia,
y latido en su inmenso corazón.

LIBROS

Libros, urnas de ideas;
libros, arcas de ensueño;
libros, flor de la vida
consciente; cofres místicos
que custodiáis el pensamiento humano;
nidos trémulos de alas poderosas,
audaces e invisibles;
atmósferas del alma;
intimidad celeste y escondida
de los altos espíritus.

Libros, hojas del árbol de la ciencia;
libros, espigas de oro
que fecundara el verbo desde el caos;
libros en que ya empieza desde el tiempo
el milagro de la inmortalidad;
libros (los del poeta)
que estáis, como los bosques,
poblados de gorjeos, de perfumes,
rumor de frondas y correr de agua;
que estáis llenos, como las catedrales,
de símbolos de dioses y de arcanos.

Libros, depositarios de la herencia
misma del Universo;
antorchas en que arden
las ideas eternas e inexhaustas;
cajas sonoras donde custodiados
están todos los ritmos
que en la infancia del mundo
las musas revelaron a los hombres.

Libros, que sois un ala (amor la otra)
de las dos que el anhelo necesita
para llegar a la verdad sin mancha.

Libros, ¡ay!, sin los cuales
no podemos vivir: sed siempre, siempre,
los tácitos amigos de mis días.

Y vosotros, aquellos que me disteis
el consuelo y la luz de los filósofos,
las excelsas doctrinas
que son salud y vida y esperanza,
servidle de piadosos cabezales
a mi sueño en la noche que se acerca.

(febrero 28 de 1918)

LA SED

Inútil la fiebre que aviva tu paso;
no hay fuente que pueda saciar tu ansiedad,
por mucho que bebas...
                        El alma es un vaso
que sólo se llena con eternidad.

¡Qué mísero eres! Basta un soplo frío
para helarte... Cabes en un ataúd;
¡y en cambio a tus vuelos es corto el vacío,
y la luz muy tarda para tu inquietud!

¿Quién pudo esconderte, misteriosa esencia,
entre las paredes de un vil cráneo? ¿Quién
es el carcelero que con la existencia
te cortó las alas? ¿Por qué tu conciencia
si es luz de una hora, quiere el sumo *bien*?

Displicente marchas del orto al ocaso;
no hay fuente que pueda saciar tu ansiedad
por mucho que bebas... ¡El alma es un vaso
que sólo se llena con eternidad!

(marzo 26 de 1918)

EL POETA NIÑO

Sufrió su pasión,
rió su reír,
cantó su canción
... ¡y se fue a dormir!

Se marchó risueño
después de cantar,
y tal es su sueño,
que no tiene empeño,
¡ay!, en despertar.

Sufrió su pasión,
rió su reír,
cantó su canción
... ¡y se fue a dormir!

POETA, TÚ NO CANTES
A LA GUERRA...

Poeta, tú no cantes a la guerra; tú no rindas
este tributo rojo al Moloch, sé inactual;
sé inactual y lejano como un dios de otros tiempos,
como la luz de un astro, que a través de los siglos
llega a la humanidad.

Huye de la marea de sangre, hacia otras playas
donde se quiebran límpidas las olas de cristal;
donde el amor fecundo, bajo de los olivos,
hinche con su faena los regazos y colme
las ánforas gemelas y tibias de los pechos
con su néctar vital.

Ya cuando la locura de los hombres se extinga,
ya cuando las coronas se quiebren al compás
del orfeón coloso que cante marsellesas;
ya cuando de las ruinas resurja el ideal,
poeta, tú, de nuevo,
la lira entre tus manos,

ágiles y nerviosas y puras, cogerás,
y la nítida estrofa, la estrofa de luz y oro,
de las robustas cuerdas otra vez surgirá;
la estrofa llena de óptimos estímulos, la estrofa
alegre, que murmure: "¡Trabajo, Amor y Paz!"

(agosto 3 de 1915)

156 —

YA ES MUCHO

Como estamos rompiendo a duras penas
el cascarón de la animalidad,
no exijas perfecciones nazarenas
a la antropopiteca humanidad:
ya es mucho que haya algunas almas buenas
que irradien un destello de piedad.

No quieras del amor ánforas plenas;
ya es mucho si contienen la mitad...
No pidas ondas blandas y serenas
al mar esquivo de la sociedad:
¡ya es mucho que no rompa las entenas
y el casco del bajel la tempestad!

(abril de 1918)

SI MI AMOR ES PECADO...

Si mi amor es pecado,
¡ya está bien castigado!
Pero, si no lo es,
esta siembra de espinas, que inconsciente
haces tú en mi pobre alma diariamente;
esta sangre que viertes y no ves,
¿en qué compensaciones milagrosas,
en qué cosecha púrpura de rosas
florecerá después?

TESTARUDEZ

Eres castillo de acero,
con valladares de abrojos,
erguido en monte altanero;
mas, cerrando puños y ojos,
yo te digo: "¡quiero, quiero!"

Ello tiene que llegar:
ello por fuerza ha de ser.
¡Veremos quién va a ganar,
si tú a fuerza de negar,
o yo a fuerza de querer!

EL DÍA QUE ME QUIERAS

El día que me quieras tendrá más luz que junio;
la noche que me quieras será de plenilunio,
con notas de Beethoven vibrando en cada rayo
sus inefables cosas,
y habrá juntas más rosas
que en todo el mes de mayo.

Las fuentes cristalinas
irán por las laderas
saltando cantarinas,
el día que me quieras.

El día que me quieras, los sotos escondidos
resonarán arpegios nunca jamás oídos.
Éxtasis de tus ojos, todas las primaveras
que hubo y habrá en el mundo, serán cuando me
                                        [quieras.

Cogidas de la mano, cual rubias hermanitas
luciendo golas cándidas, irán las margaritas
por montes y praderas

delante de tus pasos, el día que me quieras...
Y si deshojas una, te dirá su inocente
postrer pétalo blanco: *¡Apasionadamente!*

Al reventar el alba del día que me quieras,
tendrán todos los tréboles cuatro hojas agoreras,
y en el estanque, nido de gérmenes ignotos,
florecerán las místicas corolas de los lotos.

El día que me quieras, será cada celaje
ala maravillosa, cada arrebol, miraje
de las Mil y una Noches; cada brisa un cantar,
cada árbol una lira, cada monte un altar.
El día que me quieras, para nosotros dos
cabrá en un solo beso la beatitud de Dios.

(1915)

LA HIEDRA

No esperes que, vencido en la contienda,
levante yo de mi querer la tienda;
vine para triunfar, o a que me mate
tu esquivez y ante ti, torre altanera,
has de ver ondear a mi bandera,
mientras no caiga muerto en el combate.

No me es dado cejar, no es culpa mía:
nací tenaz, mi voluntad bravía
es a la vez mi orgullo y mi tormento.
¡Qué más quisiera yo que no adorarte!
¡Qué más quisiera yo que desceparte
de la hondura sin fin del pensamiento!

¡Pero no puede ser! Tengo por fuerza
que idolatrarte; ¡quién habrá que tuerza
la ruta de diamante de mi hado!
Si un día, de tu ojiva, mi oriflama
no mirases flotar como una llama
sobre el hosco desierto desolado,

no pienses: "Ha cedido, ya me deja
y por la inmensa soledad se aleja,
de mi desdén inexorable cierto.."
Piensa más bien (y acertarás sin duda):
"Cayó por fin sobre la tierra muda...
¡Ay, mi más fiel adorador ha muerto!"

Mas no juzgues por eso que vencido
este mi amor sin límites ha sido:
¡tenaz aún bajo la misma piedra
que me oculta por siempre de tus ojos,
como un símbolo irá, de mis despojos,
reptando por tus muros una hiedra!

(10 de agosto de 1918)

LA PUERTA

Por esa puerta huyó, diciendo: "¡Nunca!"
Por esa puerta ha de volver un día...
Al cerrar esa puerta, dejo trunca
la hebra de oro de la esperanza mía.
Por esa puerta ha de volver un día.

Cada vez que el impulso de la brisa,
como una mano débil, indecisa,
levemente sacude la vidriera,
palpita más aprisa, más aprisa,
mi corazón cobarde que la espera.

Desde mi mesa de trabajo veo
la puerta con que sueñan mis antojos,
y acecha agazapado mi deseo
en el trémulo fondo de mis ojos.

¿Por cuánto tiempo solitario, esquivo,
he de aguardar con la mirada incierta
a que Dios me devuelva compasivo
a la mujer que huyó por esa puerta?

¿Cuándo habrán de temblar esos cristales
empujados por sus manos ducales,
y, con su beso ha de llegarme ella,
cual me llega en las noches invernales
el ósculo piadoso de una estrella?

¡Oh, Señor!, ya la pálida está alerta;
¡oh, Señor, cae la tarde ya en mi vía
y se congela mi esperanza yerta!
¡Oh, Señor, haz que se abra al fin la puerta
y entre por ella la adorada mía!
...¡Por esa puerta ha de volver un día!

SUEÑA

Si *vivir sólo es soñar*,
hagamos el bien soñando.
Sueña que vives amando,
que es tu solo fin amar;
y sueña que sin cesar
vas los bienes derramando.

EL VIAJE

Largo fue el viaje, larga fue la espera;
bogué mucho, entre lluvias y neblina.
Mas ¡qué importa, si te hallo en la ribera
desta segunda patria, la Argentina,
y eres tal vez el alma compañera
que en tus límpidos ojos adivina,
temblando de delicia, mi alma entera!

TRES LETRAS

Tres letras que acaso un día
me atreva yo a pronunciar,
y que hoy ni aún osar
deletrearlas podría...
Tres letras en las que habría
más luces que en un altar,
más radiación estelar
que en cien noches tropicales,
más rosas que en mil rosales,
son estas tres letras: *¡Mía!*

ÍNDICE

Pág.

169

I II III IV V VI VII VIII IX X XI XII 06 97 08 09 2000

La impresión de la obra se realizó en los talleres de: Servicios Litográficos Unisón, S.A. de C.V. Fresnos 43 Col. Sifón, C.P. 09400 México, D.F. 633-5583

1 15 2 3 4 5 6 7 8 9 10 11 12 15 20 25 30 50

I   II   III   IV   V   VI   VII   VIII   IX   **X**   XI   XII   96   97   98   99   2000 **■**

La impresión de la obra se realizó en los talleres de: Servicios Litográficos Ultrasol, S.A. de C.V. Fiscales 43 Col. Sifón C.P. 09400 México. D.F. 633-5653

■
1   1.5   2   3   4   5   6   7   8   9   10   11   12   15   20   25   30   50